Oh, wie schön
ist Panama

Die Geschichte,
wie der kleine Tiger und der kleine Bär
nach Panama reisen

BELTZ
& Gelberg

M**INIM**A**X**

Herausgegeben in Zusammenarbeit mit dem Moritz Verlag
von Markus Weber

Ausgezeichnet mit dem Deutschen Jugendbuchpreis

www.beltz.de
Erstmals als MINIMAX bei Beltz & Gelberg im Februar 2004

© 1978 Beltz & Gelberg
in der Verlagsgruppe Beltz · Weinheim Basel
Werderstr.10, 69469 Weinheim
Alle Rechte vorbehalten
Neue Rechtschreibung
Gesamtherstellung: Beltz Bad Langensalza GmbH, Bad Langensalza
Printed in Germany
ISBN 978-3-407-76006-7
13   15

Es waren einmal ein kleiner Bär und ein
kleiner Tiger, die lebten unten am Fluss.
Dort, wo der Rauch aufsteigt, neben dem
großen Baum.
Und sie hatten auch ein Boot.

Sie wohnten in einem kleinen, gemütlichen
Haus mit Schornstein.

»Uns geht es gut«, sagte der kleine Tiger,
»denn wir haben alles, was das Herz begehrt,
und wir brauchen uns vor nichts zu fürchten.
Weil wir nämlich auch noch stark sind.
Ist das wahr, Bär?«

»Jawohl«, sagte der kleine Bär, »ich bin stark
wie ein Bär und du bist stark wie ein Tiger.
Das reicht.«

Der kleine Bär ging jeden Tag mit der Angel
fischen und der kleine Tiger ging in den Wald
Pilze finden.

Der kleine Bär kochte jeden Tag das Essen;
denn er war ein guter Koch.

»Möchten Sie den Fisch lieber mit Salz und
Pfeffer, Herr Tiger, oder besser mit Zitrone
und Zwiebel?«

»Alles zusammen«, sagte der kleine Tiger,
»und zwar die größte Portion.«
Als Nachspeise aßen sie geschmorte Pilze
und dann Waldbeerenkompott und Honig.
Sie hatten wirklich ein schönes Leben
dort unten in dem kleinen, gemütlichen Haus
am Fluss ...

Aber eines Tages schwamm auf dem Fluss
eine Kiste vorbei.
Der kleine Bär fischte die Kiste aus dem
Wasser, schnupperte und sagte:
»Oooh ... Bananen.«

Die Kiste roch nämlich nach Bananen.
Und was stand auf der Kiste geschrieben?
»Pa-na-ma«, las der kleine Bär. »Die Kiste
kommt aus Panama und Panama riecht nach
Bananen. Oh, Panama ist das Land meiner
Träume«, sagte der kleine Bär.
Er lief nach Hause und erzählte dem kleinen
Tiger bis spät in die Nacht hinein von Panama.

»In Panama«, sagte er, »ist alles viel schöner, weißt du. Denn Panama riecht von oben bis unten nach Bananen. Panama ist das Land unserer Träume, Tiger. Wir müssen sofort morgen nach Panama, was sagst *du,* Tiger?«

»Sofort morgen«, sagte der kleine Tiger, »denn wir brauchen uns doch vor nichts zu fürchten, Bär. Aber meine Tiger-Ente muss auch mit.«

Am nächsten Morgen standen sie noch viel früher auf als sonst.

»Wenn man den Weg nicht weiß«, sagte der kleine Bär, »braucht man zuerst einen Wegweiser.«

Deshalb baute er aus der Kiste einen Wegweiser.

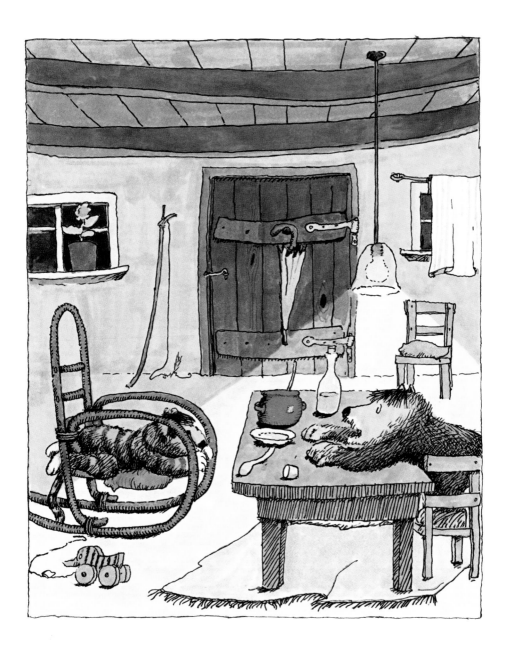

»Und wir müssen meine Angel mitnehmen«,
sagte der kleine Bär, »denn wer eine Angel hat,
hat auch immer Fische. Und wer Fische hat,
braucht nicht zu verhungern …«

»Und wer nicht zu verhungern braucht«, sagte
der kleine Tiger, »der braucht sich auch vor
nichts zu fürchten. Nicht wahr, Bär?«

Dann nahm der kleine Tiger noch den roten
Topf. »Damit du mir jeden Tag etwas Gutes
kochen kannst, Bär. Mir schmeckt doch alles so
gut, was du kochst. Hmmmm …«
Der kleine Bär nahm noch seinen schwarzen
Hut und dann gingen sie los. Dem Wegweiser
nach. Am Fluss entlang in die eine Richtung …

He, kleiner Bär und kleiner Tiger! Seht ihr
nicht die Flaschenpost auf dem Fluss? Auf dem
Zettel könnte eine geheime Botschaft über
einen Seeräuberschatz stehen … Zu spät.
Ist schon vorbeigeschwommen.

»Hallo Maus«, sagte der kleine Bär, »wir
gehen nach Panama. Panama ist das Land
unserer Träume. Dort ist alles ganz anders
und viel größer …«
»Größer als unser Mauseloch?«, fragte die
Maus. »Das kann nicht sein.«
Ach, was wissen Mäuse denn von Panama?
Nichts, nichts und wieder nichts.

Sie kamen beim alten Fuchs vorbei,
der gerade mit einer Gans seinen Geburtstag
feiern wollte.
»Wo geht's denn hier nach Panama?«,
fragte der kleine Bär.
»Nach links«, sagte der Fuchs, ohne lange
zu überlegen, denn er wollte nicht gestört
werden. Nach links war aber falsch.
Sie hätten ihn besser nicht fragen sollen.

Dann trafen sie eine Kuh.

»Wo geht's denn hier nach Panama?«, fragte der kleine Bär.

»Nach links«, sagte die Kuh, »denn rechts wohnt der Bauer, und wo der Bauer wohnt, kann nicht Panama sein.«

Das war wieder falsch; denn wenn man immer nach links geht, wo kommt man dann hin?

– Richtig! Nämlich dort, wo man hergekommen ist.

Bald fing es auch noch an zu regnen und das Wasser tropfte vom Himmel und

tropfte und tropfte und tropfte …
»Wenn bloß meine Tiger-Ente nicht nass wird«,
sagte der kleine Tiger, »dann fürchte ich mich
vor nichts.«
Wo habt ihr denn euern schönen Regenschirm,
kleiner Bär und kleiner Tiger? – Hängt zu Haus
an der Tür.
Ja, ja!

Abends baute der kleine Bär aus zwei Blech-
tonnen eine Regenhütte. Sie zündeten ein Feuer
an und wärmten sich.
»Wie gut«, sagte der kleine Tiger, »wenn man
einen Freund hat, der eine Regenhütte bauen
kann. Dann braucht man sich vor nichts zu
fürchten.«

Als der Regen vorbei war, gingen sie weiter.
Sie bekamen auch bald Hunger und der Bär sagte:
»Ich habe eine Angel, ich gehe fischen. Warte
du solange unter dem großen Baum und zünde
schon ein kleines Feuer an, Tiger, damit wir
die Fische braten können!«
Aber da war kein Fluss und wo kein Fluss ist,
ist auch kein Fisch. Und wo kein Fisch ist,
nützt dir auch eine Angel nichts.

Wie gut, dass der kleine Tiger Pilze finden konnte, sonst wären sie wohl verhungert.

»Wenn man einen Freund hat«, sagte der kleine Bär, »der Pilze finden kann, braucht man sich vor nichts zu fürchten. Nicht wahr, Tiger?«

Sie trafen bald zwei Leute, einen Hasen und einen Igel, die trugen ihre Ernte nach Hause.

»Kommt mit zu uns nach Haus«, sagten die
beiden, »ihr könnt bei uns übernachten. Wir
freuen uns über jeden Besuch, der uns etwas
erzählen kann.«

Der kleine Bär und der kleine Tiger durften auf
dem gemütlichen Sofa sitzen. »So ein Sofa«,
sagte der kleine Tiger, »ist das Allerschönste
auf der Welt. Wir kaufen uns in Panama auch
so ein Sofa, dann haben wir *wirklich* alles, was
das Herz begehrt. Ja?«

»Ja«, sagte der kleine Bär.
Und dann erzählte der kleine Bär den beiden
Leuten den ganzen Abend von Panama.
»Panama«, sagte er, »ist unser Traumland,
denn Panama riecht von oben bis unten
nach Bananen. Nicht wahr, Tiger?«
»Wir waren noch nie weiter als bis zum
anderen Ende unseres Feldes«, sagte der Hase.
»Unser Feld war bis heute auch immer unser
Traumland, weil dort das Getreide wächst,
von dem wir leben. Aber jetzt heißt unser
Traumland Panama. Ooh, wie schön ist
Panama, nicht wahr, Igel?«

Der kleine Bär und der kleine Tiger durften
auf dem schönen Sofa schlafen. In dieser Nacht
träumten alle vier von Panama.

Einmal trafen sie eine Krähe.

»Vögel sind nicht dumm«, sagte der kleine Bär und er fragte die Krähe nach dem Weg.

»Welchen Weg?«, fragte die Krähe. »Es gibt hundert und tausend Wege.«

»In unser Traumland«, sagte der kleine Bär. »Dort ist alles ganz anders. Viel schöner und so groß …«

»Das Land kann ich euch wohl zeigen«, sagte die Krähe, denn Vögel wissen alles. »Dann fliegt mir mal nach. Hupp …!«

Und sie schwang sich auf den untersten Ast
des großen Baumes.
Flog höher und höher.
Die beiden konnten nicht fliegen,
nur klettern.
»Lass mich bloß nicht los, Bär!«, rief der
kleine Tiger, »sonst bricht sich meine Tiger-
Ente ein Rad …«
»Das da«, sagte die Krähe, »ist es.«

Und sie zeigte mit dem Flügel ringsherum.
»Oooh«, rief der kleine Tiger, »ist daaaas schön!
Nicht wahr, Bär?«

»Viel schöner als alles, was ich in meinem
ganzen Leben gesehen habe«, sagte der kleine
Bär.

Was sie sahen, war aber gar nichts anderes als das Land und der Fluss, wo sie immer gewohnt hatten. Hinten, zwischen den Bäumen, ist ja das kleine Haus. Nur hatten sie das Land noch nie von oben gesehen.

»Ooh, das ist ja Panama …«, sagte der kleine Tiger. «Komm, wir müssen sofort weiter, wir müssen zu dem Fluss.

Dort bauen wir uns ein kleines, gemütliches Haus mit Schornstein. Wir brauchen uns doch vor nichts zu fürchten, Bär.«

Und sie kletterten von dem Baum und kamen bald zum Fluss.

Wo habt ihr denn euer Boot, kleiner Bär und kleiner Tiger? –

Liegt bei eurem kleinen Haus am Fluss.

»Such du schon mal Bretter und Holz«, sagte der kleine Bär.

Und dann baute er ein Floß.

»Wie gut«, sagte der kleine Tiger, »wenn man
einen Freund hat, der ein Floß bauen kann.
Dann braucht man sich vor nichts zu fürchten.«

Sie zogen das Floß in den Fluss und
schwammen damit auf die andere Seite.

»Vorsichtig, Bär«, sagte der kleine Tiger,
»dass meine Tiger-Ente nicht umkippt.
Sie kann nämlich nicht gut schwimmen.«
Auf der anderen Seite gingen sie am Fluss
entlang und der kleine Bär sagte:
 »Du kannst ruhig immer hinter mir her gehen,
denn ich weiß den Weg.«

»Dann brauchen wir uns vor nichts zu
fürchten«, sagte der kleine Tiger und sie
gingen so lange, bis sie zu einer kleinen
Brücke kamen.

Die kleine Brücke hatte früher einmal der kleine
Bär gebaut; sie waren nämlich schon bald bei
den Sträuchern, wo ihr Haus stand. Aber sie
erkannten die Brücke nicht, denn der Fluss
hatte sie mit der Zeit etwas zerstört.
»Wir müssen die Brücke reparieren«, sagte der
kleine Tiger, »heb du das Brett von unten und
ich heb das Brett von oben. Aber pass auf, dass
meine Tiger-Ente nicht ins Wasser rollt.«

He, kleiner Bär und kleiner Tiger! Da schwimmt
ja schon wieder eine Flaschenpost im Fluss.
Auf dem Zettel könnte eine geheime Botschaft
stehen.

Interessiert ihr euch denn nicht für einen
echten Seeräuberschatz im Mittelmeer?
Zu spät, Flaschenpost ist vorbeigeschwommen.

Auf der anderen Seite des Flusses fanden sie
einen Wegweiser.
Er lag umgekippt im Gras.
»Was siehst du da, Tiger?«
»Wo denn?«
»Na hier!«
»Einen Wegweiser.«
»Und was steht darauf geschrieben?«
»Nichts, ich kann doch nicht lesen.«
»Pa …«
»Paraguai.«
»Falsch.«
»Pantoffel.«

»Nein, du Dummkopf. Pa-na-ma. Panama.
Tiger, wir sind in Panama! Im Land unserer
Träume, oooh - komm her, wir tanzen vor
Freude.«

Und sie tanzten vor Freude hin und her und
ringsherum.

Aber du weißt schon, was das für ein Wegweiser war. Na? Genau.

Und als sie noch ein kleines Stück weiter-
gingen, kamen sie zu einem verfallenen Haus
mit Schornstein.

»O Tiger«, rief der kleine Bär, »was sehen denn
da unsere scharfen Augen, sag!«
»Ein Haus, Bär. Ein wunderbar, wundervoll
schönes Haus. Mit Schornstein. Das schönste Haus
der Welt, Bär. Da könnten wir doch wohnen.«
»Wie still und gemütlich es hier ist, Tiger«,
rief der kleine Bär, »lausch doch mal!«
Der Wind und der Regen hatten ihr altes Haus ein
bisschen verwittern lassen, so dass sie es nicht
wieder erkannten. Die Bäume und Sträucher waren
höher gewachsen, alles war etwas größer geworden.
»Hier ist alles viel größer, Bär«, rief der kleine
Tiger, »Panama ist so wunderbar, wundervoll
schön, nicht wahr?«
Sie fingen an, das Haus zu reparieren.
Der kleine Bär baute ein Dach und einen Tisch
und zwei Stühle und zwei Betten.
»Ich brauche zuerst einen Schaukelstuhl«, sagte
der kleine Tiger, »sonst kann ich mich nicht
schaukeln.«

Und er baute einen Schaukelstuhl. Dann
pflanzten sie im Garten Pflanzen und bald war
es wieder so schön wie früher. Der kleine Bär
ging fischen, der kleine Tiger ging Pilze finden.
Nur war es jetzt noch schöner; denn sie kauften
sich ein Sofa aus Plüsch und ganz weich.
Das kleine Haus bei den Sträuchern kam ihnen
jetzt so schön vor wie kein Platz auf der Welt.
»O Tiger«, sagte jeden Tag der kleine Bär,
»wie gut es ist, dass wir Panama gefunden
haben, nicht wahr?«

»Ja«, sagte der kleine Tiger, »das Land unserer
Träume. Da brauchen wir nie, nie wieder
wegzugehen.«

Du meinst, dann hätten sie doch gleich zu
Hause bleiben können?
Du meinst, dann hätten sie sich den weiten
Weg gespart?
O nein, denn sie hätten den Fuchs nicht
getroffen und die Krähe nicht. Und sie hätten
den Hasen und den Igel nicht getroffen und
sie hätten nie erfahren, wie gemütlich so ein
schönes, weiches Sofa aus Plüsch ist.